할 말은 하고 살게 2

목 차

프 롤 로 그

첫 책을 낸 기쁨과 여운이 남아 있는 와중에 훌쩍 시간이 흘렀다. 위로를 전하기 위한 책은 아니었는데, 독자들이 용기를 얻었다는 말에 오히려 내가 더 위로를 받았던 시간이었다. 그리고 또다시 내 안에 있는 하고 싶은 말을 끄집어내느라 꽤 긴 시간이 흘렀다. 하고 싶은 말은 다 쏟아냈다고 생각했는데, 여전히 내 안에서 들끓는 용암이 남아 있었다. 전편에 비해 좀 더 우리가 함께 살아갈 사회에 대한 이야기를 많이 쓰고 싶었다. 오랜 기간 한국, 베트남, 캄보디아 NGO에서 일을 해왔고, 지금은 사회 구성원인 한 시민으로 살아갈 뿐이지만 여전히 내게 함께 공존하며 살아가는 사회는 중요한 키워드다. 그 이유는 장황한 미사여구가 필요하지 않다. 그런 사회가 되어야만 나도 함께 잘 살아갈 수 있기 때문이다.

혹여 내 글이 정치적인 이야기로 느껴져 불편한 사람이 있을지도 모르겠다. 그런데 우리의 삶과 연결되어 있지 않은 정치는 없기에 살아가는 나의 이야기와 우리의 이야기를 썼을 뿐이다.

이번에도 역시 내가 살아가는 데 있어 중요한 가치관을 담아 세상에 던져본다. 단 한 사람이라도 읽고 공감해 주는 독자가 있길 바라는 마음으로. 전편에서와 마찬가지로 한 명의 투사가 되어 거리에 나가서 시위하길 바라는 것은 아니다. 다만 너무도 획일적인 우리 사회에서 좀 더 다양한 사람들이 있노라고 소리치고 싶었던 마음을 헤아려주길 바란다.

이번 책에도 도움을 준 나의 소중한 친구들에게 무한한 애정을 담아 보내며. 이제는 더 이상 할 말이 없어져서 이 책의 시리즈가 여기서 끝맺을 수 있기를 바라는 마음이다

.

황 주

옷이 그렇게 많이 필요한가요

옷의 의미는 사람에 따라 달라진다. 체온을 유지하고 몸을 감싸는 역할에 그치는 사람, 자신의 개성을 표현하는 수단으로 여기는 사람, 사회생활을 위해 때와 장소에 따라 어울리게 옷을 입는 사람 등 그 의미는 모두 제각각이다. 나는 가장 전자에 속하며 나에게 편한 옷이면 그만이라고 생각한다.

한창 외모에 관심이 많은 질풍노도의 시기에도 옷에는 크게 관심이 없었고, 책과 필기구 정도에만 관심이 있었다. 친구들과 옷 쇼핑을 하러 갈 때면 그들의 흥을 맞춰줄 수 있었지만 한계가 있어 한 시간이 지나면 나는 틀림없이 지쳐 있었다. 옷을 고르고 사는 행위는 시간 낭비라고 생각해 금세 흥미를 잃었다.

옷에 관심이 없던 나는 서른을 훌쩍 넘기고 나서야 스스로 옷을 사기 시작했다. 그전까지는 엄마의 잔소리에 못 이겨 옷을 사러 가야만 했다. 엄마에게 이리저리 끌려다니며 한참 옷을 갈아입어 본 후에야 겨우 옷을 살 수 있었다. 그러면서 엄마는 내게 입버릇처럼 옷은 사람의 기운을 결정하고, 첫인상을 좌우하기 때문에 깨끗하게 입어야 한다고 했다. 나는 그럴 때마다 사람을 옷으로 판단하는 사회가 잘못되었고, 그런 사람과 친구를 하고 싶지 않다고 대꾸했다.

그러나 한편으로 나는 왜 소위 평범한 생각의 범주와 다른 생각을 가졌는지 고민하기도 했다. 나만 홀로 동떨어진 세계의 사람처럼 느껴졌다. 외국인이 한국에 오면 옷을 잘 입는 한국인의 모습에 놀란다고 하는데, 나는 오히려 우리나라 사람들이 유행에 따라 옷을 지나치게 많이 소비하고, 옷을 남에게 보여주기 위한 과시용으로 여긴다고 생각했다. 그들이 나를 이해하지 못하는 것처럼 나도 그들을 이해하지 못했다.

이런 고민이 깊어질 즈음 캄보디아에 살면서 우연히 독일 아저씨 한 명을 만났다. 우리나라로 말하자면 한국전력공사와 같은 공기업을 다녔던 분으로, 어느 날 회사 생활에 회의가 들어 그만두고 동남아 여행을 하다 캄보디아에 정착했다. 아저씨는 동남아 여행을 하며 그동안 자신이 얼마나 좁은 세상에 갇혀 살았는지 알게 되었고, 캄보디아에서 완전히 다르게 살기로 마음먹은 후 환경운동가로 살아가고 있었다.

아저씨와 만나 몇 차례 대화를 나누다 우리는 자연스레 친구가 되었고, 아저씨의 집에 초대받았다. 대화를 나누며 아저씨는 옷이 딱 세 벌이라고 말했는데, 내 눈으로 보기 전까지는 믿지 않았다. 옷에 관심이 없는 나도 옷이 열 벌은 훌쩍 넘는데, 대체 어떻게 세 벌로 생활할 수 있는 건지 신기할 따름이었다. 그런데 집에 가니 정말 아저씨가 입고 있는 옷 한 벌 외에 벽에 걸린 두 벌이 전부였다. 초롱초롱한 눈으로 옷 세 벌로 생활할 수 있는 비법을 물었다. 아무렇지 않다는 듯 빨래를 자주 해서 입으면 충분하고, 더욱이 캄보디아는 더운 날씨이기에 옷이 많이 필요하지 않다고 했다. 확신에 차서 말하는 아저씨를 보며 나는 그간의 고민을 서슴없이 털어놓았고, 우리는 한동안 옷의 필요성과 옷이 환경에 미치는 영향, 다국적기업의 횡포 등에 대해 깊은 대화를 나누었다. 옷이 필요하지 않았던 선사 시대의 이야기부터 산업혁명 이후 공장식 생산이 가능해지면서 옷의 소비가 늘어나게 된 이야기, 청바지, 티셔츠 한 벌을 만들기 위해 자연을 얼마나 훼손하고 있는지, 노동력을 얼마나 착취하고 있는지 등을 목 놓아 이야기했다. 한국에서 단 한 번도 누군가와 대화해 보지 못했던 주제였다.

이야기는 시간이 어떻게 지나갔는지 모를 정도로 흥미로웠고, 본래도 옷을 잘 사지 않았던 나는 그와의 대화를 기점으로 더욱 옷을 사지 않게 되었다. 꼭 필요한 옷이 있다면 중고거래를 먼저 알아보는 습관이 생겼다. 또, 한번 산 옷은 지겨워졌다고 버리기보다는 낡아질 때까지 입으려 노력하고, 구멍이 나거나 헤지더라도 수선해서 입기 위해 자연스레 바느질에 관심을 가지게 되었다.

　캄보디아 시장에 가면 세계 각지에서 온 유행이 지난 옷들이 즐비하다. 우리가 쓸모없다고 헌옷수거함에 버린 옷들이 그곳에 있다. 이는 우리가 옷을 과소비하고 있다는 방증이다. 2021년, EBS에서 『옷을 위한 지구는 없다.』라는 다큐멘터리를 방영했다. 옷의 소재는 페트병을 만드는 소재와 같고, 페트병 쓰레기 한 개보다 버려지는 옷 한 벌이 훨씬 많은 플라스틱 쓰레기를 만든다. 게다가 페트병을 재활용하는 것이 해결책이 아니라고 꼬집으며 생산과 소비를 줄이고, 제도를 만들어야 한다는 것이 주요 내용이었다. 다큐멘터리를 보지 않았더라도, 매일 입을 옷이 없다고 입버릇처럼 말하지만 사실 우리의 옷장을 살펴보면 입지 않는 옷들이 즐비하다. **그러니 이제라도 옷이 우리에게 어떤 의미인지, 옷을 사기 전 적어도 한 번쯤 꼭 필요한 것인지 생각해 보아야 할 때가 아닐까.**

　언젠가 독일 아저씨와 통화를 하며 나는 낡은 옷을 멋스럽게 입고 다니는 히피가 되고 싶다고 했다. 여전히 욕구에 의해 옷을 사기도 하지만 좀 더 욕구와 타인의 시선에서 벗어난 진짜 나에게 가치 있는 옷만을 소비할 날을 꿈꿔본다.

긍정을 강요하는 사회

아빠에게 중학생 무렵부터 이골이 나도록 들었던 말이 있다.

"좀 우중충하게 있지 말고, 긍정적이고 밝게 행동해."

그럴 때면 나는 항상 불만스러운 표정으로 마지못해 "어"라고 대답했다. 대학교에 다닐 때도 비슷한 일이 있었다. 사람들과 잘 어울리지 않는 내가 안타까워 보였는지 교수는 나를 따로 불러 아빠와 똑같은 말을 했다. 그때도 역시나 '긍정적이고, 밝게'라는 말이 나의 진짜 모습이 아닌 가식적인 모습을 강요하는 듯해서 달갑지 않았다.

하지만 삶의 나침반이 될 만한 어른이 없어 불안했던 시기, 불현듯 나를 바꾸는 노력을 해야겠다는 생각이 들었다. 책만이 많은 경험을 대신해 줄 수 있다고 생각했기에 그동안 관심조차 없던 자기계발서를 탐독했다. 그런데 자기계발서조차 긍정을 강조했다. 책에는 분명 전하는 바가 있다고 믿었기에 긍정적인 성격으로 바꾸기 위해 노력했고, 그런 성격을 가진 사람을 동경하기도 했다. 대표적으로 방송인 노홍철과 같이 언제나 밝은 에너지가 넘치고, 긍정의 기운을 전하는 사람. 그런 모습을 조금이나마 닮고 싶어 내가 가진 모습은 전혀 살피지 않고, 따라 하기에 급급했다. 짧은 시간에 많은 경험을 할 수 있었지만 무리한 탓에 오히려 신체적, 정신적으로 부정적인 효과만 나타날 뿐이었다. 그 후로 자기계발서를 끊었다. 분명 자기계발서에 배울 만한 점도 있었을 것이다. 하지만 내가 느끼기에는 이 역시 본질적인 모습을 들여다보지 않고, 좋은 말로 사람을 꾀는 듯했다.

긍정적인 사람이 틀렸다는 것이 아니다. 다만 우리가 생각하는 긍정은 어디에서 왔는지, 은연중에 사회로부터 긍정을 강요받고 있지는 않은지 살펴보아야 한다. 자기계발서를 비롯해 미디어나 SNS에는 대체로 밝고, 긍정적이며 성공한 사람의 이야기만 널려 있다. 부정적이고, 실패한 사람의 이야기는 찾아보기 힘들다. 자연스럽게 나를 제외한 모든 사람이 성공하고 잘 사는 듯한 착각에 빠지기 쉽다. 그리고 나만 뒤처졌다는 소외감과 불안감에 어느새 나와 전혀 어울리지 않는 모습을 따라가려 애쓰고, 나도 모르는 사이 억지 긍정에 빠지게 된다. 억지 긍정이란 자신의 본모습을 잃어버리고, 어떤 상황에서도 잘될 거라는 허무맹랑한 긍정에 빠지는 것을 말한다. **얼마간은 억지 긍정으로 자신과 타인을 속일 수 있을지도 모**

르겠다. 하지만 억지 긍정은 자신의 진짜 감정으로부터 고립시켜 다양한 감정을 느끼지 못하고, 자신의 본모습을 완전히 잃어버리게 한다.

나는 태생적으로 긍정적이기보다는 부정적인 사람이다. 지금도 여전히 '싫다'는 말이 뇌의 회로도 거치지 않고 먼저 튀어나온다. 하지만 나와 같은 사람이 사회에서 해나가는 역할이 있다. 사회의 여러 문제를 조금 더 섬세하게 비판하고, 본질을 꿰뚫어 볼 수 있다. 만약 이런 성향이 아니었다면 이 책도 세상에 나오지 않았을 것이다.

지금도 사회는 우리가 모르는 사이에 끝없이 긍정을 강요하고 있다. 그것을 완전히 외면하고 살기란 쉽지 않다. 힘든 상황에 놓여 있을 때는 더욱 그렇다. 하지만 자기의 모습을 있는 그대로 받아들이기 힘들어 외면하지 않았으면 한다. 어떤 모습이든 그 자체로의 나도 충분히 가치 있는 사람이기에 사회가 원하는 모습이 아닌 본질적인 나를 찾아가길 바라는 마음이다. 그리고 나의 본질적인 모습 그대로 존중받을 수 있는 사회야말로 함께 살아가는 사회라 말할 수 있지 않을까.

게으름에 대한 고찰

캄보디아에 처음 살 때만 해도 '이분들은 왜 이렇게 게으르고, 느릿느릿한 걸까?'라는 생각을 종종 했다. 그리고 사람들은 캄보디아를 비롯해 동남아, 아프리카에 사는 사람들을 더운 날씨 때문에 게으르다고 단정 짓기도 한다. 과연 그럴까.

내가 캄보디아에 살며 지켜본 그들의 모습은 나의 처음 생각과는 달랐다. 매일 아침 혹은 저녁에 거리에 모여 함께 운동하고, 가족과의 시간을 중요하게 여겨 저녁 식사는 꼭 가족과 함께하며, 가장 더운 시간에는 각자의 휴식을 즐기며 누구보다 삶을 조화롭게 살고 있었다. 애초에 그들의 일상에는 관심도 두지 않고 색안경을 끼고 바라본 내가 부끄러웠다.

그렇다면 우리나라의 생활 방식은 어떨까. 우리나라는 정해진 시간에 일하는 것에 그치지 않고 밤에도 야근을 밥 먹듯이 한다. 오죽했으면 법정 근로 시간까지 생겼을까. 회사원에

게만 국한되는 말은 아니다. 주위를 둘러보면 대부분의 사람이 시간을 쪼개어 삶을 바쁘게 살아가고 있고, 바쁜 하루를 보내야 알차게 보냈다고 여긴다.

한편 쉼에 대한 생각은 어떤가. 쉬고 싶다는 말을 끊임없이 하면서도 쉼을 죄처럼 여긴다. 격앙된 표현이라고 할지 모르지만 바쁘지 않으면 조바심을 느끼며 쉬고, 놀 때 죄책감을 느끼는 사람들을 보면 죄가 아니고 무엇이라 표현해야 할는지 모르겠다.

우리나라는 여전히 성실과 근면을 최고의 미덕으로 여긴다. 한국인 특유의 근성으로 지금의 대한민국이 있었다고 말한다. 틀린 말은 아니다. 하지만 무엇이든 지나치면 문제가 생긴다. 곳곳에서 곪아 있던 문제가 터져 나오고 있다. 특히 OECD 자살률 통계에서 한국은 수년째 상위권을 차지하고 있다. 단순한 통계 수치의 문제는 아니다. 높은 자살률의 원인은 무엇일까. 우리의 생활 방식 그리고 사회 시스템이 어딘가 잘못되었다는 것을 끊임없이 알려주고 있다고 생각한다. 이런 실정에서 과연 우리는 잘 살아가고 있다고 할 수 있을까.

나 역시도 한국에서 태어나고 자랐기에 성실과 근면을 최고로 여기며 자랐고, 쉬고 있을 때면 스스로 게으르다고 자책하기도 한다. 하지만 스스로 물음을 던져본다. 바쁜 삶이 인생에서 필수적인지. 공허함과 불안을 가리기 위한 바쁨은 아닌지.

그리고 삶에서 일과 쉼의 균형을 맞추어 나가기 위해 최근 1년 동안 요가 수련에 매진하고 있다. 그런데 요가에서도 쉼을 중요하게 여긴다. 요가를 하는 사이에도 짧은 쉼을 가져야 한다. 그렇지 않으면, 다음 날 몸 어딘가 탈이 난다. 또 요가를 오래 수련한 사람들은 마무리인 송장 자세를 가장 중요시한다. 몸에 있는 모든 힘을 빼고, 누운 자세로 온전한 쉼을 가져야 하는데 얼핏 쉽게 느껴지지만 움직이던 몸을 삽시간에 고요하게 만드는 것은 쉽지 않다. 짧은 요가 수련도 움직임과 쉼의 조화가 이처럼 중요한데, 우리의 삶은 어떨까.

시끄럽고, 정신없이 살아가는 일상을 에너지 넘치는 생활이라 착각하지 말자. 조금이라도 나를 위한 온전한 쉼을 가지며 그 시간을 게으름으로 여기지 않고, 한 걸음 더 나아가기 위한 시간으로 여길 수 있기를 바란다.

느리다고 해서 잘못되는 건 아니잖아요

  엄마의 말에 따르면 나는 어릴 적부터 무엇이든 남들보다 한 걸음씩 느렸다. 걷기 시작해야 할 무렵에도 여전히 바닥을 기어다녀 온 식구의 걱정을 한 몸에 샀다. 두 돌을 훌쩍 넘기고 겨우 걷기 시작해 다행히 걱정을 덜었지만 그전까지는 보조기의 도움을 받아 겨우 걸음마를 하는 정도였다.

  학교에 진학해서도 항상 느렸다. 당연한 수학 공식도 나는 쉽게 넘어간 적이 없었다. '왜?'라는 물음표가 항상 따라다녔고, 궁금증을 해소하지 못하면 한 걸음도 앞으로 나아가지 못했다. 우리나라의 공교육 환경에서 질문이 한 트럭쯤 쌓여 있어도 내향적인 내가 질문을 하기란 쉽지 않았다. 겨우 용기를 내어 질문하면 귀찮아하는 선생님의 반응이 잇따랐고, 어느새 소심해져 더는 질문을 할 수 없었다. 어디선가 회로가 멈춰버

린 채 더 이상 앞으로 나아가지 못했고, 내 성적은 고만고만 해졌다.

대학교에 가서도 마찬가지였다. 고등학교를 갓 졸업한 나는 딱히 하고 싶은 일이 없었다. 아빠가 권유하는 대학교에 진학했고, 그마저도 맞지 않아 또 아빠의 권유로 공무원 시험도 준비했지만 잘될 리가 없었다. 괴로웠다. 삶의 속도가 나지 않았고, 가만히 정차해 있는 열차 속에 갇혀 있는 기분이었다.

겨우 대학교를 졸업한 후에도 취업이라는 과제가 나를 괴롭혔다. 다행히도 NGO 분야가 가치관과 잘 맞아 밥벌이를 하며 살았다. 하지만 그 후에도 수두룩한 과제가 기다리고 있었다. 남들은 나에게 꼭 집어 과제라고 하지 않았지만 대학교 졸업 후, 취업, 결혼까지. 꼬리에 꼬리를 잇는 숙제는 끝이 없었다. 스물아홉의 나는 알 수 없는 조급함과 불안함으로 어찌할 바를 몰랐다. 그리고 지금의 나는 꽤 인정받았던 NGO 활동가 일을 그만두었고, 우리나라에서 말하는 결혼 적령기도 지났다. 하지만 이제는 안다. 남들보다 느리다고 해서 잘못되는 게 아니라는 것을.

우리나라는 유독 나이에 맞는 옷차림, 소득과 주거 환경 등 나이에 맞는 평균의 삶이 정해져 있다. 나는 소위 평균의 삶을 따라가지 못했기에 항상 느리다는 참견을 받고 자랐다. 그런데 잘 살펴보면 누구도 평균의 삶에 완벽하게 부합하는 삶을 살아가는 사람은 없다. 그러니 어쩌면 우리가 생각하는 평균의 삶은 허상이 아닐까. 오히려 평균이라는 수치가 타인과 끊임없이 비교하고, 불안감에 휩싸이게 하는지도 모른다. 내 삶에서 느리다고 참견했던, 심지어 나조차도 스스로를 옥죄던 그 말은 더 이상 중요하게 여길 필요가 없다. 그리고 만약 모두가 평균의 삶을 살아간다면 어떨까. 한 사람의 삶은 공장에서 찍어낼 수 있는 물건이 아닌데 모두가 똑같은 삶을 살아간다고 생각하면 상상만으로도 끔찍하지 않은가.

 그럼에도 여전히 주변 사람들의 무미건조한 걱정을 듣는다.

"그래서 앞으로 어떻게 살 건데?"

 되묻고 싶다. 당신의 삶은 앞으로 어떻게 살아갈지 아느냐고. 하지만 더 이상 그 말에 내 삶을 좌지우지하지 않으려 한다. 한 번뿐인 내 삶을 누군가의 걱정에 휩쓸려 다니고 싶지 않거니와 알맹이 없는 걱정일 뿐이다. 그리고 내게 중요한 가치관을 다시 상기해 본다. 주어진 삶을 다른 사람에게 방향키를 넘기지 않고, 스스로 결정하고 내게 맞는 속도로 걸어가는 것. 내게 삶에서 이보다 더 중요한 가치가 또 있을까.

소수에 대한 배려가 없는 사회

　10년 전, 『육식의 종말』을 읽고 큰 충격을 받아 비건이 되기로 결심한 적이 있다. 현재는 환경 문제에 공감하는 사람이 늘면서 우리나라도 비건을 지향하는 인구가 늘어난 편이지만 당시에는 비건이라고 하면 사이비종교를 믿는 사람 정도로 취급했다. 회사에서도 마찬가지였다. 사회초년생이었기에 당당하게 비건이라고 말하기가 어려워 건강상의 이유로 둘러댔지만 돌아오는 반응은 싸늘했다. "비건이면서 왜 뚱뚱해?"라는 말과 회식을 할 때면 "비건 때문에 회식도 제대로 못 하네." 등의 핀잔 섞인 말을 들었다. 자존감이 낮았던 나는 송곳처럼 뾰족한 말에 상처를 받아 결국 내 삶의 가치관 하나를 꺾어야 했다.

그리고 최근 환경 문제가 갈수록 심각해지면서 나는 다시 제로웨이스트 실천과 더불어 페스코베지테리언을 지향하기로 마음먹었다. 하지만 여전히 '생선도 안 먹었으면 같이 안 다니지.'처럼 소수에 대한 배려 없는 말을 듣는다.

소수의 취향으로 사는 불편함은 도처에 있다. 어릴 적부터 가슴을 노출하는 남성은 아무렇지 않게 생각하면서 왜 가슴을 노출하는 여성은 불편한 시선으로 바라보는지 의문이었다. 심지어 여성보다 가슴이 발달한 남성에 대해서도 관대하면서 왜 여성의 가슴만 브래지어 안에 갇혀야 하는지 이해하기 어려웠다. 이런 답답함은 페미니즘을 공부하면서 해소할 수 있었다. 처음에 브래지어는 여성의 가슴을 받쳐주는 기능적 제품으로 만들어졌지만 오히려 브래지어를 착용하면서 여성의 가슴을 신체의 일부가 아닌 성적인 대상으로 보는 시선만 팽배해졌다. 게다가 기능적 제품이기는커녕 유방암 유병률을 높인다는 충격적 사실을 접한 후부터는 여름을 제외하고는 최대한 노브라로 생활하고 있다. 그런데 길을 걸어 다닐 때면 가끔 몸을 위에서 아래로 훑어보는 사람들의 시선을 느낀다. 그럴 때면 몇 년 전 안타깝게 세상을 등진 가수 설리가 떠오른다. 방송에서 노브라로 출연해 온갖 질타를 받았던 그녀였다. 한 사람의 취향이 많은 사람의 입방아에 올라야 하고, 질타를 받아야 하는 이유는 무엇일까. 길에서도 이렇게 흔하게 무례한 시선과 싸워야 하는데, 그녀는 얼마나 많은 사람의 시선과 싸워야 했을지 가늠하기조차 어렵다.

예전에 비해 우리 사회가 소수의 취향, 다양성에 꽤 관대해졌다고 한다. 변화가 전혀 없지는 않았다. 최근 LGBTQIA+에 관한 예능이 생기고, 드라마에 장애를 가진 이들이 심심치 않게 등장한다. 하지만 일상에서 LGBTQIA+, 장애인을 쉽게 만날 수 있는가. 그렇지 않다. 특정한 곳에 가야만 만날 수 있다. 또 다른 예로 전국장애인차별철폐연대에서 진행하는 지하철 행동에 대한 시선도 곱지 않다. 드라마 속 장애인의 모습에는 공감하면서, 현실에서는 상반된 태도를 보인다. 겉으로는 함께 살아가는 사회인 척하지만 실상은 그렇지 않다는 것이 자명하게 드러나는 부분이다.

해외 생활을 하면서 우리나라가 유독 소수에 대한 배려가 없다고 느꼈다. 생각건대 오래전부터 이어져 온 유교 문화의 영향으로 유독 사회가 정해놓은 틀 안에서 벗어나는 사람을 인정하지 않으려는 게 아닐까. 사회에서 생각하는 모습과 조금만 달라도 그저 이상하고 특이한 사람으로 분류한다. 게다가 자신의 권리를 위해 목소리를 내는 사람에게는 지지를 보내기는커녕 비난과 질타가 난무한다. **인간은 사회적인 동물이기에 함께 살아가야 한다. 그러나 다른 이에게 부리는 지나친 오지랖마저 용인되는 것은 아니다. 타인은 내가 아니기에 누구나 은연중에 선을 넘을 수 있다. 하지만 그 행동이 얼마나 큰 무례함인지 알고, 미안함을 느낄 줄 알아야 한다.**

얼마 전, 나는 일본 여행에서 장애인이 버스를 타는 모습을 처음으로 목격했다. 살면서 첫 경험이었다. 당혹스러움과 궁

금함을 가진 사람은 나뿐이었다. 나를 제외하고 버스에 탄 누구 하나 어색한 기색이 없었다. 우리는 언제쯤 이런 모습을 어색해하지 않고, 당연하게 받아들일 수 있을까. 장애인, LGBTQIA+ 등의 소수를 쉽게 만날 수 없는 지금의 사회는 올바른 사회가 아니다. 무엇이 먼저라고 할 수는 없지만 소수를 위한 법 제정과 함께 소수에 대한 배려와 인식도 달라져야 하지 않을까. 끝으로 우리도 언제나 소수가 될 수 있다는 사실 또한 잊지 않았으면 한다.

내 몸은

자유로워질 권리가 있다

내 몸은 지금껏 트라우마 그 자체였다. 어떤 특정 신체 부위도 아니고 몸이 트라우마라니 이상하게 들릴지도 모르지만, 정말 그렇다. 어릴 적 나는 자주 아파 병원을 전전했다. 그 탓에 부모에게 외모와 몸에 대한 말을 인이 박이게 들었다. 다치지 않게 몸을 조심해라, 살을 빼라, 여성으로서 몸가짐을 단정히 해라는 등의 말이었다. 당연히 부모로서 할 수 있는 잔소리이자 걱정이라 여길지도 모르겠다. 하지만 내게 성형을 강요했고, 나는 결국 부모의 바람대로 성형수술을 하기에까지 이르렀다. 이것 역시 걱정이라는 마음에서 비롯된 것일까.

그뿐만이 아니다. 소위 여성이 갖추어야 하는 표준 몸매라는 틀도 나를 괴롭혔다. 20년이 지나도 또렷한 기억이 있다. 중학교 무렵, 나는 으레 치마로 된 교복을 입고 다녔다. 그런데 어느 날, 횡단보도에서 일면식도 없는 남학생들의 목소리가 귀에 꽂혔다.

"저 무다리는 뭐지?"

횡단보도에는 나와 그들뿐이었다. 지금이라면 뒤로 돌아 한마디 쏘아붙였겠지만 당시에는 창피해서 쥐구멍에라도 들어가고 싶었다. 하지만 태연한 척 표정을 숨기며 횡단보도를 건넜다.

그리고 결정적인 사건이 있었다. 엄마의 손에 이끌려 한의원에 간 날이었다. 한의사는 내가 선천적으로 왼쪽 다리가 2cm가량 짧게 태어났다고 진단했다. 그 말을 듣고 엄마는 세상이 무너진 듯 한참을 울었다. 나를 건강하게 낳지 못했다는 죄책감과 미안함 때문이었다. 엄마의 눈물에 나도 따라 울었다. 하지만 내 눈물의 이유는 달랐다. 어딘가 잘못되었고, 고쳐야 하는 몸으로 낙인찍힌 기분이 들어 절망스러웠다.

나는 결정적인 사건 이후, 운동을 배우거나 병원에 갈 때면 누가 묻기도 전에 내 신체적 결점을 먼저 드러냈다. 타인에게 자신의 약점을 먼저 드러내는 것을 달가워하는 사람이 누가 있을까. 하지만 누가 내 몸을 평가하기 전에 먼저 말하는 편이 차라리 나았다. 그렇다. 살아오는 동안 내 몸은 항상 누군가의 평가 대상이었다. 부모, 친구, 의사, 심지어 지나가는 생면부지인 행인에게까지도.

이 사실을 깨닫기까지 오랜 기간이 걸렸고, 최근에서야 겨우 평생 트라우마로 안고 살아온 몸에서 조금씩 벗어나려 노력하고 있다. 역시나 나의 첫걸음은 책에서부터였다. 몸에 관한 책을 읽으며 몸에 대한 평가는 나라를 막론하고 남성보다는 여성에게 유독 심하다는 것을 알게 되었다. 그와 동시에 여성의 몸은 억압받는 일이 잦기도 했다. 여성의 억압받은 몸이라 하면 히잡, 할례 같은 먼 나라의 이야기를 먼저 떠올릴지도 모르겠다. 하지만 여성에게 이런 일은 빈번하게 일어난다. 나의 어린 시절만 해도 운동장은 남자아이들이 독차지했다. 그들의 운동장인 양 나는 조용히 모퉁이에 앉아 모래성 쌓기를 하는 게 전부였다. 여자아이들이 조금이라도 뛰면 여자가 조신하지 못하다는 소리를 듣기 때문이었다. 게다가 여중, 여고를 다녔던 나에게 체육 시간은 두려움, 그 자체였다. 뛰어놀지 말라는 소리를 듣고 자란 나는 몸을 움직이는 방법을 배우지 못했고, 어딘가 항상 주눅이 든 상태였다. 당연히 체육 시간에는 몸을 자연스럽게 움직일 수 없었고 그것은 평가 점수로 돌아왔다. 체육 시간만 되면 내 몸을 평가하는 기분마저 들었고, 도망치고 싶을 만큼 무섭기도 했다.

또 책을 통해 가장 새롭게 알게 된 점이 있다면 사람의 신체는 대체로 비대칭이며 2cm 정도는 정상 범위라는 점이다. 의사마저 진단해 버리고 수많은 사람에게 평가받아 여기저기 생채기가 난 내 몸은 틀린 몸, 고쳐야 할 몸이 아닌 돌보아야 할 몸이라는 사고의 전환이 일어났고, 비로소 나를 옭아매던 사슬을 한 꺼풀 벗겨 낸 기분이었다.

책을 읽고 변화가 일어난 이후, 처음으로 거울 속의 내 몸을 깊이 들여다보았다. 내가 원하는 몸은 무엇일까. 어떤 운동이든 집에서 꾸준히 할 수 있는 운동을 하며, 내 몸이 타인의 시선에서 완전히 자유로워지는 것이다.

그래서 요가를 꾸준히 해오며 내 몸을 돌보는 일을 습관화하고 있다. 하지만 여전히 타인의 시선에서 완전히 자유롭지는 못하다. 몸을 훑어보는 시선이 잘못되었다는 걸 알면서도 어쩐지 움츠러든다. 어떻게 풀어가야 할지 여전히 오리무중이다. 그러나 어떤 몸이든 자유로워질 권리가 있다는 것만큼은 단호하게 말할 수 있다. 몸은 가장 개인적이면서도 사회적인 요소를 가지고 있다. 내 소유지만 사회에서 가장 처음 보이는 모습이기에 평가의 대상이 되기 쉽다. 그러나 내 소유인 몸을 어느 누구도 멋대로 평가할 권리는 없다. 여성에게 남성의 성기가 있어도, 남성에게 여성의 유방이 있어도, 우리는 그 어떤 몸도 평가할 자격이 없으며, 그로부터 자유로워질 권리가 있다.

우리나라 2030대 여성은

대체 어떻게 살고 있을까

2019년, 제주에 한달살이를 하러 왔다가 어영부영 정착했다. 그리고 여성 전용 쉐어하우스를 운영했다. 다양한 사람을 만나고 싶었고, 어렸을 적부터 꿈꾸었던 게스트하우스를 작게나마 해보고 싶었다. 그렇게 함께 사는 고양이와 나, 그리고 여성 게스트가 사는 아주 작은 여성 전용 쉐어하우스를 열었다.

2년 6개월 동안 여성 전용 쉐어하우스를 운영하며 적어도 100여 명의 20, 30대 여성을 만났다. 대기업 마케팅 부서에서 일하는 사람, 편의점과 같은 서비스직에서 일하는 사람, 고객센터에서 일하는 사람, 특수학교 교사, 공무원 등 다양한 직종의 여성이 숙소를 찾았다. 그런데 공통적인 부분이 하나 있었다. 대다수가 퇴사를 결심하고 오거나 퇴사를 한 후 숙소에 방문했다. 아름다운 제주에 단순히 여행을 즐기기 위해 올 것이라는 내 생각과는 달리 마음에 무거운 짐을 하나씩 가지고 있었다.

평소 혼자 하는 여행을 좋아해 게스트의 시간을 존중하는 편이었지만 게스트가 요청할 때면 종종 함께 밥을 먹거나 술을 마시며 시간을 보냈다. 그럴 때면 자연스럽게 회사 생활의 고달픔을 털어놓았다. 나 역시 회사 생활의 고충을 잘 알기에 내가 할 수 있는 힘껏 공감해 주었다. 그런데 그들의 이야기를 듣고 있으면 이 이야기가 지금, 2023년에 일어나고 있다는 사실이 믿어지지 않았다. 여전히 커피 심부름이나 스타킹 심부름을 시키는 상사, 결혼 소식에 축하보다는 퇴사 걱정을 먼저 하는 상사, 음담패설을 일삼는 상사, 음담패설을 한 상사를 감싸는 회사, 여성과 남성을 당연하게 차별하는 회사 등 직접 만나진 못했지만 그들을 통해 수많은 최악의 상사와 회사를 만났다. 그동안 나의 회사 생활은 생각보다 힘들지 않았다는 생각이 들 정도로 말로 다 할 수 없는 상황이었다.

그들의 상황을 좀 더 깊이 생각해 보았다. 숙소를 찾는 이들의 연령을 고려하면 사회초년생이나 많게는 5년 정도의 경력을 가진 20, 30대 여성들이었고, 부당한 상황을 겪어도 쉽게 목소리를 낼 수 없었을 것이다. 어쩌면 나에게 터놓은 이야기보다 더 숱한 상황을 겪고 있을지 모른다는 생각과 함께 뜬금없으면서도, 커다란 의문이 들었다.

‘우리나라 20, 30대 여성은 대체 어떻게 살고 있을까?’

요즘 드라마에서 직장 생활을 묘사할 때, 20, 30대 여성 직원을 두고 "무서워서 무슨 말이나 하겠어?"라고 비아냥대는 상황을 종종 접한다. **엉망진창인 기성세대의 조직 문화에 대한 반성은 전혀 없고, 오히려 정당하게 문제 제기하는 사람을 조롱하는 모습이다. 그런 장면을 볼 때면 화가 치민다. 미디어에서뿐만 아니라 현실도 별반 다르지 않아서 더 화가 나는지도 모르겠다.** 게다가 모든 상황을 일반화할 수는 없지만 적어도 내가 겪고, 이야기로 접했던 상황을 보면 우리가 아는 80년대 조직 문화에서 나아진 점이 없어 보인다.

직장 생활뿐만이 아니다. 여성은 아주 오랜 시간 동안 가정에서 돌봄과 희생의 틀에서 벗어나지 못했다. 많은 우리나라 30대 여성은 여전히 대학을 나와 결혼하고, 육아와 일을 병행하거나 육아로 인해 경력 단절 여성이 된다. 나는 제도권 문화와 다른 곳에 속해 있어 감히 상상할 수도 없지만 과연 그 전과 비교했을 때 무엇이 달라졌을까. 오히려 지금의 여성이 이전에 비해 더 무거운 짐을 지고 있다는 생각마저 든다.

그리고 얼마 전 우리나라 20대 여성 절반 이상이 비혼, 비출산에 동의한다는 뉴스를 접했다. 이는 여성의 삶이 얼마나 퍽퍽한지를 나타내는 결과이자 오랜 기간 이어져 온 무거운 짐을 내려놓는 절박한 목소리라고 생각한다. 누군가는 줄어드는 출생률에 국력을 걱정할지도 모르겠다. 하지만 나는 이제야 겨우 여성들이 목소리를 내고, 자신을 돌보기 시작했다고 생각한다.

 현재 여성 전용 쉐어하우스는 더 이상 운영하고 있지 않다. 하지만 종종 내가 만났던 게스트들을 떠올린다. 비록 잠시 같은 공간에 지냈던, 여행지에서 만난 호스트와 게스트일 뿐이지만 이전에 힘들었던 일은 떨쳐버리고, 온전히 그들의 삶을 살아나가길 바랄 뿐이다. 더 큰 바람이 있다면 나를 비롯한 모든 여성의 삶이 눈부시기를. 좀 더 힘차게 끌어안고, 지지하고 싶다.

우울증이지만 해맑은 편입니다

　몇 년 전이었다. 아침이면 눈뜨기가 무섭고, 침대에서 일어나기 어려웠다. 하루하루가 악몽이었고, 침대에 누워 있으면 땅으로 꺼질 듯한 기분이 들었다. 하던 일을 그만두고, 한동안 끼니를 해결하는 일 외에 밖을 나가지 못했다. 그러던 어느 날, 정신을 차려보니 죽음에 직면한 나를 발견했다. 다행히 나를 동그란 눈으로 바라보는 반려묘를 발견하고, 내가 하고 있던 행위를 멈추었고 한동안 정신이 나간 사람처럼 울음을 토해냈다. 그때 처음으로 내가 우울증일지도 모른다는 생각이 스쳤다.

얼마 지나지 않아 내 의지로 병원을 찾았다. 그런데 지금 당장 입원하라는 의사, 왜 이제야 병원에 왔느냐고 나무라는 의사, 심리 치료가 아닌 약을 꼭 먹으라고 강요하는 의사를 만났다. 아직 우울증을 받아들일 준비도 되지 않았는데 우울증 환자로 낙인찍히는 기분이 들었고, 우울증이 아니라는 것을 증명하려는 사람처럼 항변하며 병원을 옮겨 다녔다.

그렇게 여러 병원을 전전하다 마지막이라는 심정으로 한 병원을 찾았다. 정신건강의학과에 처음 방문하면 매번 수백 개의 질문으로 나를 진단했다. 그중, '언제부터 우울증이 있었는가?'라는 질문에 나는 늘 쉽게 대답하지 못했다. 그날도 똑같은 질문에 지쳐 귀찮은 듯 "대충 20대부터요."라고 대답했다. 그런데 의사가 '그럼 언제부터 죽고 싶다고 생각했어요?'라며 재차 물었다. 당혹스러웠지만 비로소 명쾌하게 답을 찾을 수 있었다. 천천히 되짚어 보니 그 시작은 한창 사춘기를 지나던 무렵이었다. 감정의 폭이 지나치게 크고, 죽음에 대한 생각을 초콜릿 꺼내 먹듯 자연스럽게 여겼는데 당연한 마음이 아니었다. 그때부터 지금까지 우울증은 삶 깊이 들러붙어 있다.

그렇게 처음으로 우울증을 인지했고, 가까운 친구들에게 털어놓으면서 점점 우울증을 받아들일 수 있었다. 그런데 내가 우울증을 앓고 있다는 이야기를 꺼내면 대체로 적잖이 놀라는 반응을 보였다.

"이렇게 해맑은 네가 우울증이라고?"

우울증이라 하면 어딘가 우울하고 스산한 사람을 떠올리지만 그들이 보기에 나는 평소 꽤 명랑한 사람이었던 모양이었다. 하지만 나는 겉으로 보이는 모습과는 달리 내 삶은 대체로 우울하고, 불행하다고 생각했다. 우울한 기분을 다른 사람에게 전이시키고 싶지 않아 그런 모습을 감추기에 급급했고, 우울증으로 힘든 시간이 찾아와도 그 모습을 드러내기 두려워 감싸지지 않는 포장지로 간신히 포장하고 있었다.

 한편 우울증을 털어놓으며 주변에 있는 우울증 환자를 만날 수 있었다. 그들도 대체로 나처럼 해맑고, 다정한 사람들이었다. 그런데 나와 같은 이유, 혹은 사회의 낙인이 두려워 자기 모습은 꼭꼭 숨긴 채 살아가고 있었다. 우리가 살면서 우울증에 걸릴 확률은 얼마나 될까? 15%~18%로 생각보다 높다. 주변 사람 중 적어도 5명 중 1명은 우울증을 앓고 있다는 것이다. 이 글을 보는 당신도 언젠가 우울증에 걸릴 수 있다는 뜻이기도 하다. 그러나 여전히 우울증에 대한 오해와 편견이 널려 있다. 우울증을 단순히 우울한 감정일 뿐인데 의지가 약해서 걸리는 병이라고 생각하거나 어딘가 부족한 사람이라고 낙인찍어 사회생활을 어렵게 만드는 일이 벌어지기도 한다. 우울증과 같은 정신 질환은 다른 병과 달리 쉽게 겉으로 드러나는 질병이 아니기에, 사회가 오히려 우울증 환자를 더욱 고립시킨다.

 나는 오늘도 우울증에 대해 알아가는 중이다. 그 말은 이제

나를 알아간다는 의미처럼 다가온다. 예전보다 깊은 우울 증상에 빠지는 시간은 적어졌지만 그럼에도 간헐적으로 찾아온다. 얼마 전에도 우울 증상이 찾아왔다. 홀로 세상의 끝에 매달려 있는 기분에 무섭고, 두려웠다. **하지만 예전과 달리 아무것도 할 수 없이 축 늘어져 있는 모습을 자책하며 나를 갉아먹으려 하지 않고, 그 시간을 쉼의 시간으로 받아들이려 하고 있다.** 또, 우울증을 앓으며 삶의 균형점을 찾아 나를 돌보며 살게 되었고, 뜻밖에 심리학, 뇌 과학 분야에 관심을 가지며 나뿐 아니라 타인에 대해서도 이해하고 싶어졌다.

언제까지 끔찍한 참사를

반복할 것인가

2022년 10월 29일, 서울 이태원에서 일어나서는 안 될 일이 다시금 일어났다. 29일 밤, 마음을 졸이며 뜬눈으로 밤을 지새웠다. 뉴스 속 장면이 사실이 아니길 바랐지만 실시간으로 본 현실은 참담했다. 그렇게 꽃다운 나이의 영혼 159명이 핼러윈 축제를 즐기다가 허망하게 떠났다.

단번에 세월호 참사가 떠올랐다. 세월호 참사가 발생한 후 8년 만에 일어난 참사였기에 자연스러웠다. 세월호 참사 후의 대응은 어처구니없었다. 전원을 구조했다는 공영 방송의 오보, 여전히 의문인 7시간의 공백, 시간이 흘러 정치적인 쇼를 한다며 아이들의 영혼을 무참히 짓밟던 사람들. 끔찍한 참사는 일상에서 점차 잊혔고, 뚜렷한 진상 규명은 없었다. 국가의 책임이 있다는 판결만 있을 뿐 지금까지 누구의 사과도 없어 더욱 답답하다.

그런데 이번에는 대한민국의 수도 한복판에서 일상을 살아가는 사람들에게 참사가 일어났다. 만약 원칙을 지키는 사회였다면, 이런 참사가 일어났을까. 세월호 참사와 10.29 참사(이태원 참사)는 사건의 개요는 다르지만 모두 누군가 자신의 역할을 제대로 다하지 않아서 발생한 인재임에는 틀림이 없다. 그리고 문득 일상을 살아갈 때는 무심코 지나치지만 평온한 일상을 위해 애쓰는 사람들이 떠올랐다. 교통 신호 체계를 다루는 사람, 쓰레기를 수거하는 사람처럼 잘 드러나지는 않지만 사회에서 꼭 필요한 사람들이 있다. 만약 그들이 사명감과 원칙을 잃고 자신의 업무에 조금만 소홀하다면, 이런 참사는 끝없이 반복될지도 모른다.

10.29 참사 직후, 목숨을 잃은 고인은 안타깝지만 추모는 필요하지 않다는 여론은 정말 끔찍했다. 죽음 앞에서 생명의 경중을 따질 수 있다니. 만약 가족, 친구에게 저런 일이 일어났어도 같은 태도를 취했을까. 10.29 참사 후, 또 시간은 속절없이 흘렀다. 2개월이 지나서야 위패를 모시고 추모했고, 참사 관련 보고서를 인멸하려는 시도만 있었을 뿐 세월호 참사와 마찬가지로 10.29 참사에 대한 사과와 문책은 전혀 없다. 또다시 떠나간 사람들과 유족만이 덩그러니 남았다.

한 사람을 죽이는 행위는 그 사람의 주변, 나아가 그 주변으로 무한히 뻗어 가는 분인끼리의 연결을 파괴하는 것이다.

- 신형철, 『인생의 역사』

세월호 참사 때와 다를 바 없는 미흡한 대처, 사람들의 무분별한 발언 속에서 신형철 교수의 책을 읽다가 이 한 문장이 마음에 남았다. 159명이 세상을 떠났지만 그들과 함께한 많은 사람의 세계가 무너졌다는 뜻이다. 헤아릴 수 없이 많은 사람의 세계가 무너졌는데, 그들의 아픔을 헤아리지는 못할망정 어떻게 저런 비난을 퍼부을 수 있는 걸까.

언젠가 친구들과 대화 중 제주의 숨겨진 물놀이 명소인 생이기정을 통제했다는 소식을 접했다. 2020년 생이기정에서 한 남성이 추락해 전신 마비 증세를 보였고, 구조를 위한 접근이 쉽지 않아 위험 지역이라 판단해 전면 통제했다는 이야기였다. 그런데 친구들은 통제된 상황을 아쉬워할 뿐, 그 남성에 대한 안위는 뒷전이었다. 처참한 사고를 당한 사람도 있거늘, 그저 자신의 편의만을 생각하고 공감하지 못하는 친구들이 답답했다.

세월호 참사, 10.29 참사와 같은 일이 재발하지 않으려면, 참사 후의 대응도 중요하지만 그보다 생이기정 통제 소식과 같은 안타까운 사건을 바라보는 우리의 시각이 변해야 한다. 세상이 점점 팍팍해져 가지만 그럼에도 인간에 대한 기본적인 측은지심은 잃지 않았으면 좋겠다. 또 누구나 자유롭고, 특별하기를 원한다. 하지만 참된 자유는 규칙을 어기는 것이 아니라 규칙을 지킬 때 누릴 수 있다고 생각한다. 모두가 스스로 법 없이도 살 수 있는 사람이라고 생각할 테지만 과연 그런 사람이 얼마나 있을까. 나 역시, 나의 편의를 위해 작은

꼼수라도 부린 적은 없었는지 돌아본다.

나이 든 사람들은 말한다. "꼼수 조금 부리고, 법 조금 안 지키면 어때. 지키는 사람만 바보인 세상에." 이런 말이 통하지 않는 세상이 와야 비로소 계속되는 이 끔찍한 참사의 고리를 끊어낼 수 있을 것이다. 부디 이런 끔찍한 참사가 더는 일어나지 않길 바라며. 마지막으로 세월호 참사, 10.29 참사에서 허망하게 떠나간 영혼과 그들을 둘러싼 많은 분인의 세계를 애도하며 글을 마친다.

작가 **황 주**

고양이 봉이씨와 9년째 동거 중이며,
여기저기 집을 옮겨 다니며 산다.
글을 쓰고, 요가를 하며 호기심 많은
꼬부랑 할머니로 늙어가고 싶다.

메일 rashimi87@naver.com
인스타그램 @hwangjoo_writer

할 말은 하고 살게 2

출판일	2024년 1월 29일
글쓴이	황주
그린이	오조용
편집	안림
펴낸이	한건희
펴낸곳	주식회사 부크크
ISBN	979-11-410-6919-3
출판사 등록	2014년 7월 15일 (제2014-16호)
주 소	서울특별시 금천구 가산디지털1로 119 SK트윈타워 A동 305호
전 화	1670-8316
이메일	info@bookk.co.kr